yoko tsuno
électronicienne

par roger leloup

MESSAGE POUR L'ÉTERNITÉ

DUPUIS

MARCINELLE-CHARLEROI / PARIS / MONTRÉAL / BRUXELLES / SITTARD

I.S.B.N. - 2-8001-0670-0

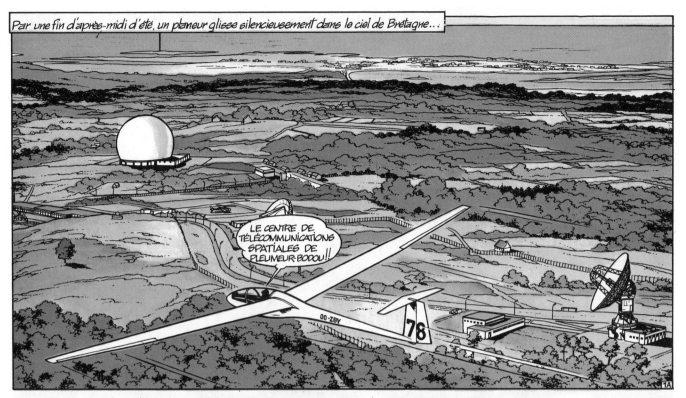

Par une fin d'après-midi d'été, un planeur glisse silencieusement dans le ciel de Bretagne...

LE CENTRE DE TÉLÉCOMMUNICATIONS SPATIALES DE PLEUMEUR-BODOU!!

J'AI DÉPASSÉ L'AÉRODROME DE LANNION SANS L'APERCEVOIR ET, À PRÉSENT, JE SUIS TROP BAS POUR FAIRE DEMI-TOUR...

LS1

...ALORS, SI JE DOIS "ALLER AUX VACHES"* AUTANT QUE CE SOIT ICI, J'Y CONTACTERAI PLUS AISÉMENT LES COPAINS!!...

* SE POSER EN DEHORS D'UN TERRAIN D'AVIATION.

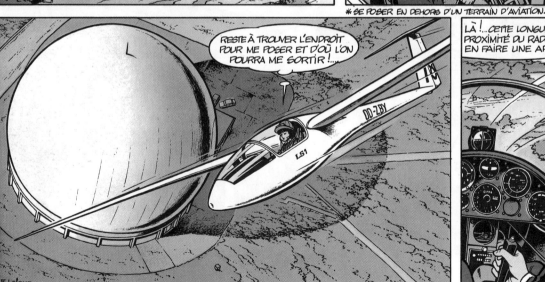

RESTE À TROUVER L'ENDROIT POUR ME POSER ET D'OÙ L'ON POURRA ME SORTIR!...

OO-ZBY

LS1

LÀ!...CETTE LONGUE PRAIRIE...ELLE EST À PROXIMITÉ DU RADÔME, ET JE PUIS ENCORE EN FAIRE UNE APPROCHE FIGNOLÉE!...

Quelques minutes plus tard, train et volete d'atterrissage sortis, Yoko posait son planeur...

ET VOILÀ!...

DIX HEURES ALLONGÉE ET SANGLÉE!...CELA DEVENAIT LONG!

AH! QUELQU'UN QUI VA PEUT-ÊTRE M'AIDER!...

BONJOUR! VOUS VENEZ DE LOIN?...

DES ENVIRONS DE CLERMONT-FERRAND!...MAIS ILS IGNORENT LÀ-BAS CE QUE JE SUIS DEVENUE, CAR MA RADIO M'A LÂCHÉE AU-DESSUS DE TOURS...J'AIMERAIS LES RASSURER... DU CENTRE DE TÉLÉCOMMUNICATIONS CE DOIT ÊTRE POSSIBLE...NON?...

CERTES! ET, COMME J'Y TRAVAILLE, AVEC VOTRE PERMISSION, JE VOUS SERVIRAI DE GUIDE...

AVEC PLAISIR! MAIS J'AI DES CRAINTES D'ABANDONNER LE PLANEUR...

LES HABITANTS DE LA FERMETTE ACCEPTERONT DE LE SURVEILLER!

CLERMONT-FERRAND! CELA FAIT PLUS DE 500 KILOMÈTRES!...VOUS PARTICIPEZ À UNE COMPÉTITION?...

NON! À UN STAGE DE VOL À VOILE... CE MATIN, UN AMI BELGE M'A PRÊTÉ SON MERVEILLEUX PLANEUR... J'AI RENCONTRÉ DE BELLES POMPES,* ET J'AI "TENU" JUSQU'ICI!...

OO-ZBY

* ASCENDANCES

Yoko et son "guide" arrivaient bientôt au pied du radôme...

CETTE GROSSE BOULE PIQUE MA CURIOSITÉ, J'AIMERAIS VOIR L'ANTENNE QU'ELLE ABRITE!...

C'EST LÀ QUE JE VOUS EMMÈNE!

Et, le sas d'entrée franchi, Yoko contemplait enfin le "monstre": l'oreille géante de Pleumeur-Bodou...

ÇA VOUS PLAÎT?...

IMPRESSIONNANT!

JE NE CONNAISSAIS L'ANTENNE-CORNET QU'EN PHOTO! L'ORIGINAL EST DE TAILLE!

29 MÈTRES DE HAUT... 54 DE LARGE... 380 TONNES, SOUS LA PROTECTION D'UNE ENVELOPPE RADÔME PERMÉABLE AUX SIGNAUX RADIOÉLECTRIQUES ET MAINTENUE GONFLÉE PAR UNE SURPRESSION INTERNE DE L'AIR...

POINTÉE SUR LE SATELLITE INTELSAT IV DE L'OCÉAN INDIEN, L'ANTENNE EST EN LIAISON AVEC LE JAPON ET L'AUSTRALIE. ELLE PEUT AMPLIFIER UN SIGNAL REÇU UN MILLION DE MILLIARDS DE FOIS... CE QUI NOUS A PERMIS DE CAPTER RÉCEMMENT UN CURIEUX **MESSAGE FANTÔME!**...

MESSAGE FANTÔME?!!...

DEPUIS QUELQUE TEMPS, UN APPEL EN MORSE NOUS PARVIENT ENTIÈREMENT MÉLANGÉ... NOUS L'AVONS AMPLIFIÉ ET SOUMIS À NOS ORDINATEURS, QUI L'ONT CLASSÉ PUIS DÉCODÉ... IL S'AGIT DE L'ULTIME MESSAGE **D'UN AVION ANGLAIS DISPARU EN 1933!**...

ET QUI NE VOUS PARVIENT QUE MAINTENANT?!

CETTE HYPOTHÈSE SERAIT LA PLUS LOGIQUE... SI NOS APPAREILS DE MESURES NE S'OBSTINAIENT À PROUVER QUE CE MESSAGE EST CHAQUE FOIS ÉMIS **QUELQUES SECONDES PLUS TÔT!**

?

QUE DÉSIRE CETTE DEMOISELLE LE GUÉREC?

TÉLÉPHONER!... ELLE VIENT D'ATTERRIR EN PLANEUR, ET...

JE ME DOUTE QU'ELLE N'EST PAS ARRIVÉE PAR LE CORNET! TÉLÉPHONEZ, PUIS FILEZ, J'AI LA VISITE D'UN "OFFICIEL"!

Un instant plus tard, dans une pièce attenante...

DEPUIS L'ARRIVÉE DE CET ANGLAIS, L'INGÉNIEUR PRINCIPAL EST À VIF!!

AH?!... ALLÔ?... LA CONVENTION INTERNATIONALE DE VOL À VOILE?... JE VOUDRAIS PARLER AU CHEF-MONITEUR BERTHIER... AU BAR! OUI!... J'ATTENDS!...

MYSTÈRE ÉCLAIRCI, MILORD!... UNE ÉLECTRONICIENNE JAPONAISE QUI VIENT D'ATTERRIR EN PLANEUR...

UNE ÉLECTRONICIENNE! EN PLANEUR!...

TIENS? TIENS?

3 B

ALLO?... BERTHIER?... YOKO, ICI... JE SUIS À PLEUMEUR-BODOU... OUI, EN BRETAGNE... INTACTE! LE PLANEUR AUSSI!...

Et, à 600 kilomètres de là...

FORMIDABLE!... HO! VIC M'ARRACHE LE TÉLÉPHONE... JE VOUS LE PASSE...

BONSOIR, PERLE D'EXTRÊME-ORIENT!... TU NOUS AS FAIT PEUR!... RADIO EN PANNE?!... TE RÉCUPÉRER DEMAIN MATIN AVEC LE "RALLYE"?... OK.! JE VIENDRAI AVEC POL...

HÉ! À MOI, MAINTENANT!!

HELLO! POL!... TU OFFRES UNE TOURNÉE GÉNÉRALE?!!! ALORS QUE TU EN DOIS DÉJÀ UNE DOUZAINE!!!... APPORTE-MOI PLUTÔT UNE RADIO DE RECHANGE!.. OK? BONNE NUIT!... SAYONARA! *

* AU REVOIR!

MADEMOISELLE!... JE REPARS À L'INSTANT EN HÉLICOPTÈRE, ET, SI VOUS ME LE PERMETTIEZ, JE SERAIS TRÈS HEUREUX DE VOUS DÉPOSER PRÈS DE VOTRE PLANEUR!...

EUH?!...C'EST GENTIL! MAIS...

QUE ME VEUT-IL, CELUI-LÀ?

Un instant plus tard, à l'extérieur...

VOUS FAITES DU "PLANEUR" PAR SPORT?

OUI! BIEN SÛR!!

ET SI JE VOUS PROPOSAIS D'EN FAIRE POUR DE L'ARGENT?...

AH?!...PROPOSEZ TOUJOURS!...

UN MOIS DE PRESTATIONS POUR DIX MILLE DOLLARS!... TOUS FRAIS COMPLÉMENTAIRES PAYÉS!

DIX MILLE!...TARIF FORCÉ, DONC TRAVAIL RISQUÉ OU MALHONNÊTE!!...

RETROUVER UN AVION DISPARU EN 1933 N'A RIEN DE MALHONNÊTE!...

L'AVION DU MESSAGE?!!

ET... QUE TRANSPORTAIT CET AVION, MILORD?...

BRAVO! VOUS COMPRENEZ VITE!

QUI EST CETTE GIRL?

NOTRE MODULE-PILOTE... SI ELLE ACCEPTE!...

MAIS?!! IL ÉTAIT CONVENU QUE C'ÉTAIT MOI QUI...!!

R. Leloup

CETTE MISSION, STEVENS, ÉTAIT LA VÔTRE TANT QUE VOUS ÉTIEZ **LE PLUS LÉGER** DE MES PILOTES!... LES CINQUANTE KILOS DE CETTE DEMOISELLE VOUS FONT RECULER D'UNE PLACE!... **VU?!**

PARCE QUE MA LIGNE L'INTÉRESSE!...

YES, SIR!

Un instant plus tard, l'hélicoptère décollait, et le mystérieux Anglais s'expliquait...

JE SUIS LE REPRÉSENTANT DE LA COMPAGNIE QUI, JADIS, ASSURA L'AVION ET LA SOMME FABULEUSE EN BIJOUX QU'IL CONTENAIT...

NOUS SAVONS **OÙ EST CET AVION**, ET LA RAISON DE NOTRE PRÉSENCE ICI EST DE VÉRIFIER SI NOUS SOMMES LES SEULS...

ET... OÙ EST-IL?...

DANS UNE RÉGION INACCESSIBLE PAR DES MOYENS CLASSIQUES...

SAUF EN PLANEUR?

DISONS... EN PLANEUR "**TRÈS SPÉCIAL**"!... ALORS QUE DÉCIDEZ-VOUS?

LA NUIT PORTE CONSEIL. J'AIMERAIS EN BÉNÉFICIER!

SOIT! JE REVIENDRAI DEMAIN MATIN... RÉFLÉCHISSEZ, MISS; DIX MILLE DOLLARS!... CELA VOUS FERAIT UN TRÈS BEAU PLANEUR!

OU UN TRÈS BEAU CERCUEIL!...

Mais, au décollage, le pilote bascule son appareil, et...

STEVENS! QUE SIGNIFIE?

JE VÉRIFIE SI ELLE EST AUSSI AGILE QUE MALIGNE!...

CELUI-LÀ NE ME PORTE PAS DANS SON COEUR!...

ON A BIEN GARDÉ TON PLANEUR! PERSONNE N'Y A TOUCHÉ!

MERCI! MOI, JE VAIS PASSER LA NUIT DEDANS. N'AURIEZ-VOUS PAS UNE COUVERTURE?

Le lendemain à l'aube...

LA VOILÀ !

VRRRRRR

ELLE A CHOISI UN MOUCHOIR DE POCHE POUR ATTERRIR !

F.OTIK

AVEC SES 220 CV, NOTRE "RALLYE" DÉCOLLE D'UN CONFETTI !...

Un instant plus tard, Vic posait le "Rallye"...

F.OTIK

QUELLE MINE SOUCIEUSE !... LA PRINCESSE AURAIT-ELLE MAL DORMI ?...

IL Y AVAIT UN PETIT POIS SOUS LE PLANEUR ?

NON ! UN GROS POIDS SUR MON CŒUR !

ON M'OFFRE UN JOB INTÉRESSANT !... JE VAIS VOUS QUITTER UN MOIS !...

QUOI ?!...

Et, lorsque Yoko eut tout expliqué à Vic...

DIX MILLE DOLLARS !... VOILÀ QUI REMPLIRAIT LES CAISSES DU TRIO...

NON !...

...TU N'IRAS PAS PRENDRE DES RISQUES SEULE !

Bientôt, sous l'impulsion de Vic, le trio préparait le décollage...

NOUS DEMANDERONS À L'AÎNÉ DES GOSSES, DE SOUTENIR L'AILE !...

J'AI CHANGÉ LE BLOC RADIO ET FAIT UN ESSAI, TOUT EST O.K. !... ALLONS ! NE BOUDE PAS ! S'IL T'ARRIVAIT LA MOINDRE CHOSE, ON NE SE LE PARDONNERAIT JAMAIS !

M'ARRIVER QUOI ?...

À cet instant précis, dans les buissons bordant le terrain...

D'ICI, JE L'AJUSTERAI AVANT QU'ELLE NE DÉCOLLE...

Un quart d'heure plus tard, Vic libère les 220 c.v. du "Rallye"...

VRROOM

Déjà le planeur quitte le sol...quand soudain!...

PAN

LS1

Ptii..iiit!

YOKO!...CESSE DE GIGOTER! RESTE DANS L'AXE!

ON M'A TIRÉ DESSUS! MON COCKPIT EST PERFORÉ DE PART EN PART!!...

TIRÉ?!...TU PLAISANTES!...C'EST SÛREMENT UN GROS INSECTE QUI...

OUI, UN GROS INSECTE... AVEC UNE ARMURE "CALIBRE 7.62"!....

À PROPOS DE "GROS INSECTE", EN VOICI UN!...

UN HÉLICOPTÈRE!

OSCAR, BRAVO, YANKEE!...RÉPONDEZ! DAMNED! JE SUIS SUR LA FRÉQUENCE LOCALE...DONC ELLE DOIT M'ENTENDRE!

ÇA, C'EST "MON PATRON"!

EH BIEN, TU VAS NOUS FAIRE LE PLAISIR DE WI PRÉSENTER TON PRÉAVIS, À "TON PATRON"!

R. Leloup 78

OSCAR, BRAVO, YANKEE, ME RECEVEZ-VOUS?!!

NE VOUS ÉNERVEZ PAS, MILORD!... JE VOUS REÇOIS 5 SUR 5!...

JE PRÉSUME QUE CE DÉPART HÂTIF SIGNIFIE VOTRE REFUS À MA PROPOSITION!...

NON! SIMPLEMENT QUE MES AMIS SONT PLUS MATINAUX QUE VOUS!...QUANT À VOTRE OFFRE D'EMPLOI, JE L'ACCEPTE!...

MAIS VEUILLEZ INCORPORER DANS VOS FRAIS GÉNÉRAUX LE REMPLACEMENT DE MON COCKPIT QU'UNE BALLE VIENT DE PERFORER!...

QUE DIS-TU DE ÇA?

JE PENSE QUE NOUS POUVONS NOUS APPRÊTER À JOUER LES ANGES GARDIENS!

ON A TIRÉ SUR VOUS?!!...ÉCOUTEZ-MOI BIEN, MADEMOISELLE TSUNO...VOTRE NOM!...JE ME SUIS RENSEIGNÉ!...JE CONNAIS MÊME VOTRE ADRESSE... DANS QUINZE JOURS, VOUS Y RECEVREZ MES INSTRUCTIONS, ET... UNE VOITURE!...

ET POURQUOI PAS UNE ROLLS?

...VEUILLEZ DE VOTRE CÔTÉ METTRE VOTRE PASSEPORT EN RÈGLE, EN VUE D'UN SÉJOUR PROLONGÉ EN SUISSE... TERMINÉ! À BIENTÔT!...

EN SUISSE?!!

8A

Deux semaines plus tard, en Suisse, dans le col de la Susten...

QUE CETTE VOITURE SOIT IMMATRICULÉE EN SUISSE, RIEN DE SURPRENANT!...

VROMMM

...MAIS QU'ELLE LE SOIT À TON NOM, IMPLIQUE UNE COMPLICITÉ DES AUTORITÉS!...

C'EST CE QUI M'A DONNÉ CONFIANCE!...CAR, DU GARS QUI ME L'A LIVRÉE HIER, JE N'AI TIRÉ QU'UNE PHRASE: "TOUT EST DANS LE VIDE-POCHES"...ET TOUT Y ÉTAIT, À MON NOM!...PAPIERS, ASSURANCE AUTO, CARTE D'IDENTITÉ SUISSE, PERMIS DE TRAVAIL...

ET UN ITINÉRAIRE, QUE TU ES OCCUPÉE À MODIFIER!...

UNE PORSCHE NOUS SUIT DEPUIS BERNE! QUAND J'AI FAIT DEMI-TOUR AU PIED DU BRÜNIG, ELLE L'A FAIT AUSSI!...CE N'EST PLUS UNE COÏNCIDENCE!...MAIS OÙ RESTE POL?!...

8B

TU ES CERTAINE QUE C'EST LA MÊME PORSCHE?...

OUI!... À UN DÉTAIL TYPIQUE: LES ARCEAUX DE PROTECTION DU PARE-CHOCS AVANT... **APPELLE POL!...**

ALLO, POL?!...TU M'ENTENDS?... MAIS?!! QU'EST-CE QU'IL FABRIQUE?...

INSISTE!!...

Quelques virages plus bas...

MMM!... QUELLE FRAÎCHEUR ALPESTRE! PAS ÉTONNANT QUE LE LAIT DES VACHES SUISSES SOIT SI BON! HÉ?! ON M'APPELLE!...

ALLO? POL!...

OUAIS!...JE M'ABREUVAIS!...HEU! JE VEUX DIRE...JE ME DÉSALTÉRAIS! QUOI?. ON VOUS SUIT?!!... BOUGEZ PAS!... J'ARRIVE!...

ACTIVE! NOUS PASSONS LE SOMMET...

ON S'ENGAGE DANS LE TUNNEL...TU NOUS REJOINS DANS LA DESCENTE!...

Et les 325 mètres du tunnel franchis...

LÈVE LE PIED, POL RACCROCHERA PLUS RAPIDEMENT!...

9A

Mais à l'entrée du premier virage...

ATTENTION!

!

BOM

LES ROUES SAVONNENT!! JE NE CONTRÔLE PLUS LA VOITURE!

NE FREINE PAS!!

ACCÉLÈRE!

?!!

REDRESSE!!

POF VROOMM

SCRSHHHH

R.Leloup 98

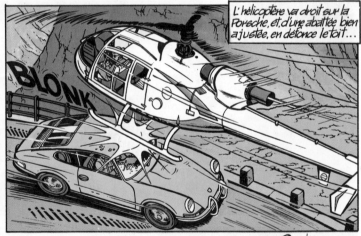

La Porsche rebondit sur la route en contrebas et bascule dans le ravin...

PLAF

Yoko s'est arrêtée à hauteur du point de chute...

ILS SONT PERDUS!

OUI! LA VOITURE FLAMBE.

Soudain!...

MADEMOISELLE TSUNO, REGAGNEZ VOTRE VOITURE ET POURSUIVEZ VOTRE ROUTE!... CETTE AFFAIRE NE VOUS CONCERNE PLUS!

VOUS NE POUVEZ PLUS RIEN POUR EUX! ET EN DEMEURANT ICI, VOUS RISQUEZ DES ENNUIS!... "L'ACCIDENT" N'A EU D'AUTRES TÉMOINS QUE NOUS.

...MAIS DES VOITURES MONTENT LE COL... ON NE DOIT PAS VOUS TROUVER SUR LES LIEUX... REJOIGNEZ AU PLUS VITE VOTRE ITINÉRAIRE PAR LE LAC DES QUATRE CANTONS!...

UN ÉMETTEUR-RÉCEPTEUR SOUS LE TABLEAU DE BORD!

IL A RAISON, YOKO, PARTONS!...

AH! VOILÀ POL!

MAIS?! JE NE RÊVE PAS, LEUR ARRIÈRE EST ENFONCÉ!!

JE VOUS APPELLE ET VOUS NE RÉPONDEZ PAS!... OÙ EST CETTE PORSCHE?...

DANS LE RAVIN, À NOTRE PLACE!!... VITE, SUIS-NOUS!

Deux heures plus tard, non loin de Lucerne...

PREMIÈRE ROUTE À DROITE À LA SORTIE DE SANDWEIL...C'EST FAIT!... NOUS APPROCHONS!...

OUI!...ET JE CROIS POUVOIR AFFIRMER SANS ME TROMPER QUE VOILÀ NOTRE TERMINUS!...

UNE USINE D'AVIATION!

Quelques minutes plus tard, au poste d'entrée de l'usine...

LE BÂTIMENT BLEU À DROITE, MADEMOISELLE... VOUS Y ÊTES ATTENDUE!

MERCI!

AH! LA VOILÀ...DITES À SCHULTZ DE TOUT METTRE EN TRAIN!

OK!

MAIS C'EST CE CHER "MILORD"!

IL VA M'ENTENDRE CELUI-LÀ!

EXCELLENTE VOITURE-ESPIONNE, MILORD, MAIS Y JOUER LES COBAYES N'EST PAS DE MON GOÛT. J'ATTENDS DES EXPLICATIONS...

SOIT!...NOTRE "PROVIDENTIELLE" RENCONTRE À PLEUMEUR-BODOU ME LAISSAIT DES DOUTES SUR VOTRE CANDEUR...LE MICRO CACHÉ DANS LE CENTRE DU VOLANT LES A EFFACÉS...

DE PLUS, DEUX DE MES PILOTES VIENNENT DE TROUVER LA MORT AU FOND D'UN RAVIN À LA SUITE D'UN ATTENTAT...VOUS ÉTIEZ PARMI LES SUSPECTS...J'AI DONC TENDU UN PIÈGE...

DONT NOUS AVONS FAILLI FAIRE LES FRAIS

PAR VOTRE FAUTE!...UN DISPOSITIF D'ÉCOUTE ET DE SÉCURITÉ ÉTAIT EN PLACE, MAIS VOUS MODIFIEZ VOTRE ITINÉRAIRE ET NE RÉVÉLEZ LA PRÉSENCE DE LA PORSCHE QU'AU SOMMET DU COL...

MAINTENANT, SUIVEZ-MOI, VOUS AVEZ UN TEST À PASSER!

?

L'Anglais emmène nos amis dans le bâtiment et...

JE TIENS À FIXER LES LIMITES DE VOS CAPACITÉS DE PILOTE...SANS RISQUER VOTRE VIE!...

ÇA VOUS CHANGE!

...ET SANS QUITTER LE SOL!

UN SIMULATEUR DE VOL!

!?

R.Leloup.

OUI, UN SIMULATEUR DE VOL! TOUT EST PRÊT, WILSON?

OUI, SI MADEMOISELLE VEUT PRENDRE PLACE!

Et bientôt...

POUR VOTRE FACILITÉ, NOUS AVONS IMITÉ LE TABLEAU DE BORD DU LS1, QUE VOUS CONNAISSEZ BIEN... UN PAYSAGE VA DÉFILER SUR CET ÉCRAN PANORAMIQUE... VOUS ALLEZ VOUS Y POSER!

ENVOYEZ L'IMAGE!

Aussitôt l'écran s'illumine et un paysage dantesque apparaît...

OÙ VOULEZ VOUS QUE JE TROUVE LÀ-DEDANS UN ENDROIT POUR ME POSER?!!

MAIS... AU FOND DU CRATÈRE!

13A

ME POSER DANS LE CRA...

C'EST RÉALISABLE!... IL A 800 MÈTRES DE DIAMÈTRE... TOUT TIENT DANS LE CONTRÔLE DE VOTRE VITESSE!...

Le cockpit fermé, la passerelle a été enlevée...

TOUS CEUX QUI ONT ESSAYÉ AVANT VOUS SE SONT ÉCRASÉS "TECHNIQUEMENT" À LA PREMIÈRE TENTATIVE...ALORS, PAS DE COMPLEXES!...PRÊTE?!

OUI, ALLEZ-Y!

Le paysage s'est mis en marche, le cratère se rapproche...

HO! CET APPAREIL DESCEND PLUS VITE QUE LE LS1...SI JE SPIRALE TROP LENTEMENT, JE RISQUE LE DÉCROCHAGE!...

...JE DOIS DONC "ME RACCOURCIR" EN GARDANT UNE LÉGÈRE SURVITESSE DE SÉCURITÉ ...UNE SEULE SOLUTION!...

Yoko pousse le manche à gauche et enfonce le pied droit...le simulateur bascule en présentant le flanc à l'écran...

AH! ÇA! QUE FAIT-ELLE?!!...

UNE MANOEUVRE AUDACIEUSE : ELLE ATTAQUE LE CRATÈRE PAR UNE GLISSADE À GAUCHE!

13B

HO!ÇA DESCEND VITE!...ATTENTION! RAMENER LE MANCHE VERS LE CENTRE ET EN ARRIÈRE...

Yoko maintient le simulateur en "glissade latérale" parallèlement à la paroi du cratère...

BIEN MAINTENIR LA POSITION CABRÉE...

POURQUOI CETTE GLISSADE EN SPIRALE?...

POUR PERDRE RAPIDEMENT DE L'ALTITUDE SANS TROP ÉLEVER SA VITESSE EN UTILISANT LE FUSELAGE COMME FREIN AÉRODYNAMIQUE... C'EST UN MONITEUR AUTRICHIEN QUI LUI A ENSEIGNÉ CELA !...

PRUDENCE! J'ARRIVE AU FOND! RAMENER LES COMMANDES ET NEUTRALISER DANS L'AXE DU CRATÈRE...

J'Y SUIS!.... ARRONDIR...DOUCEMENT... MAIS?!! L'ÉCRAN SE VOILE?!! ILS COUPENT L'IMAGE!!...

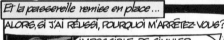

Et la passerelle remise en place...

ALORS, SI J'AI RÉUSSI, POURQUOI M'ARRÊTEZ-VOUS?

IMPOSSIBLE DE SIMULER L'ATTERRISSAGE; NOUS NE CONNAISSONS PAS LE RELIEF DU FOND DU CRATÈRE!

MAIS ENFIN! POUR RÉALISER LE FILM DE CETTE SIMULATION, VOUS AVEZ DÛ Y DESCENDRE?!

NOUS N'Y AVONS JAMAIS MIS LES PIEDS!...

..PAR CONTRE, UN SATELLITE-ESPION NOUS A PERMIS DE LE RECONSTITUER...SUIVEZ-MOI!

L'Anglais emmène le trio derrière l'écran...

UNE MAQUETTE! DES CAMÉRAS T.V.!

SYNCHRONISÉES, AVEC LES COMMANDES DE LA CABINE, ELLES PRENNENT LA POSITION FICTIVE DU PLANEUR ET RESTITUENT À L'ÉCRAN UNE SIMULATION VISUELLE QUASI RÉELLE DU VOL...

SI CETTE MAQUETTE A ÉTÉ RÉALISÉE AU DÉPART DE PHOTOS PRISES D'UN SATELLITE-ESPION, C'EST DONC QUE L'ORIGINAL SE TROUVE DANS UN PAYS DONT **LE SURVOL EST INTERDIT!!...**

EXACT!

ALORS IL M'APPARAÎT QU'UN PLANEUR, PAR SA LENTEUR ET SON PLAFOND LIMITÉ, EST DES PLUS REPÉRABLES, ET...

SUIVEZ-MOI!...

Un instant plus tard, dans une autre aile du bâtiment...

VOICI **LES** APPAREILS SPÉCIALEMENT CONÇUS POUR CETTE MISSION!...

?!!...

LES?

OUI, "**LES**"... LE PETIT, POUR DESCENDRE, DANS LE CRATÈRE... LE GRAND, **POUR VOUS Y CONDUIRE!**

DRÔLES DE BACS!

Et bientôt, au pied du premier appareil...

OU JE ME TROMPE FORT... MAIS CET AVION AUX AILES DÉMESURÉES EST ÉQUIPÉ POUR LE VOL STRATOSPHÉRIQUE?...

OUI, IL DESCEND EN DROITE LIGNE DU "LOCKHEED-U2", DONT IL BÉNÉFICIE DE L'EXPÉRIENCE. SON PLAFOND PRATIQUE EST DE 25.000 MÈTRES!

ET VOUS ESPÉREZ Y "HISSER" CELUI-CI... **REMORQUÉ?**...

NON!

SUSPENDU... COMME CECI!

VOUS SEREZ REMORQUÉE AU DÉCOLLAGE... LA RÉUNION AVEC L'AVION PORTEUR SE FERA EN VOL À 4000 MÈTRES D'ALTITUDE... ENSUITE VOUS GAGNEREZ LA STRATOSPHÈRE.

QUELLE SERA LA DURÉE DU VOL?...

QUATORZE HEURES! LE PROFIL DE L'AILE DU PLANEUR NOUS LIMITE À LA VITESSE DE CROISIÈRE DE 600 KM-H!... DE PLUS, UN RAVITAILLEMENT EN VOL EST NÉCESSAIRE!

VOUS ÊTES SÛR DES PILOTES PRÉVUS POUR CONVOYER YOKO?

IL NE M'EN RESTE QU'UN: STEVENS, ANCIEN PILOTE D'U2... VOULEZ-VOUS ÊTRE LE SECOND, MONSIEUR VIC?

MOI?! JE N'AI JAMAIS PILOTÉ DE JET, ET...

CELA S'APPREND!... IL ACCEPTE!...

IL A TORT!... RISQUER SA VIE POUR UN VIEUX BAC ET UN TAS DE VIEILLES PIERRES!!...

DOMMAGE! J'ALLAIS VOUS PROPOSER D'ÊTRE NOTRE NAVIGATEUR DE RÉSERVE!

POL EN MEURT D'ENVIE!

NOTRE ACCEPTATION MÉRITE LA VÉRITÉ!... POUR QUI TRAVAILLEZ-VOUS, ET QUE CONTENAIT RÉELLEMENT CET AVION DISPARU EN 1933?

VENEZ DANS MON BUREAU!!

Et, dans le bureau de l'Anglais...

? !

POUR PLUS DE CLARTÉ, JE COMMENCERAI PAR L'AVION DISPARU... DONT VOICI LA RÉDUCTION...

CET APPAREIL, UN HANDLEY-PAGE "HÉRACLÈS", FUT L'AVION COMMERCIAL LE PLUS SÛR ET LE PLUS CONFORTABLE DE SON TEMPS... LIVRÉ DÈS 1931 EN HUIT EXEMPLAIRES AUX "IMPERIAL AIRWAYS", IL RELIA LONDRES, VIA LE CAIRE, À KARACHI... UN NEUVIÈME APPAREIL FUT MONTÉ À LA DEMANDE DU MINISTÈRE DES AFFAIRES ÉTRANGÈRES ET AFFECTÉ...

... AU TRANSPORT DU PERSONNEL ET DU COURRIER DIPLOMATIQUES... LE 17 NOVEMBRE 1933, CET APPAREIL QUITTE KARACHI ET RAMÈNE À LONDRES D'IMPORTANTS DOCUMENTS DES SERVICES SECRETS BRITANNIQUES... MAIS, PEU APRÈS LE DÉCOLLAGE, IL SE HEURTE À UN TERRIBLE ORAGE...

NOUS NE PASSERONS PAS... IL FAUT FAIRE DEMI-TOUR... ALERTE KARACHI!...

KARACHI REÇUT LE MESSAGE... PUIS CE FUT LE SILENCE... ON NE RETROUVA JAMAIS L'AVION!

QUARANTE ANS PLUS TARD, LE SATELLITE INTELSAT IV DE L'OCÉAN INDIEN CAPTAIT SON ULTIME MESSAGE, QUI, APRÈS L'INDICATIF DE L'APPAREIL, DISAIT CECI: AVONS ATTERRI SANS CASSE, MAIS IMP...

ESPÉRANT LOCALISER LA PROVENANCE DU MESSAGE, NOUS LANÇÂMES, SOUS LE COUVERT D'UNE COMPAGNIE D'ASSURANCES, UN APPEL AUX RADIO-AMATEURS... NUL N'Y RÉPONDIT!... QUAND UN JOUR...

JE M'APPELLE STEVENS! JE SAIS OÙ EST VOTRE "BAC"!...

STEVENS, ANCIEN PILOTE D'U-2, M'APPRIT QU'EN 1960, L'US AIR FORCE AVAIT CAPTÉ D'INCOMPRÉHENSIBLES SIGNAUX RADIO EN PROVENANCE DE LA FRONTIÈRE COMMUNE À LA CHINE, LA RUSSIE ET L'AFGHANISTAN...

LA CHINE?! LA...

INTRIGUÉS, LES AMÉRICAINS Y ENVOYÈRENT UN AVION U-2 DE RECONNAISSANCE... STEVENS LE PILOTAIT...

U.S. AIR FORCE

CLIC

IL PRIT À 20.000 MÈTRES D'ALTITUDE D'INNOMBRABLES CLICHÉS, DONT CELUI-CI, À LA VERTICALE DU CRATÈRE...

OBSERVEZ CETTE PETITE CROIX SUR LE FOND...

...EN VOICI L'AGRANDISSEMENT...

CELA RESSEMBLE À VOTRE AVION, MAIS C'EST FLOU!

OUI! ET C'EST POURQUOI STEVENS ET SON U-2 REPARTIRENT EN MISSION AU-DESSUS DU CRATÈRE... MAIS, À L'EXAMEN DES PHOTOS QU'IL RAMENA, ON DUT SE RENDRE À L'ÉVIDENCE: L'AVION AVAIT DISPARU...

ENVOLÉ?...

NON! CE TYPE D'AVION N'A PAS LA PUISSANCE POUR SORTIR SEUL DU CRATÈRE... IL DEVRAIT ENCORE S'Y TROUVER, ET C'EST À VOUS DE LE VÉRIFIER!...

CERTAINS S'INGÉNIENT À NOUS EN EMPÊCHER!

STEVENS S'EST PROCURÉ LES FILMS QU'IL AVAIT PRIS JADIS, PAR UN AMI DES SERVICES DE RENSEIGNEMENTS AMÉRICAINS... DEPUIS, CELUI-CI, UN DÉNOMMÉ BENSON, A DISPARU... ET LES ATTENTATS ONT COMMENCÉ... LE RAPPORT DE LA POLICE SUISSE NOUS DIRA S'IL ÉTAIT DANS LA PORSCHE... IL SE FAIT TARD, JE VAIS VOUS CONDUIRE À VOS CHAMBRES...

RICHE IDÉE, ÇA!...

Un instant plus tard...

VOUS ÊTES LOGÉS SOUS LE TOIT... AIR CONDITIONNÉ, MAIS PAS DE FENÊTRES... LE SEUL ACCÈS EST CE COULOIR, SURVEILLÉ PAR CIRCUIT FERMÉ T.V....

2

3

VOICI VOTRE CHAMBRE, MADEMOISELLE... NOUS AVONS FAIT DE NOTRE MIEUX! ICI, PAS DE CAMÉRA...

MERCI! LA CAGE EST DORÉE!

AH!... ENCORE UN DÉTAIL... JE SUIS LE MAJOR DUNDEE, DÉTACHÉ PAR LE MINISTÈRE DE L'AIR AUPRÈS DES SERVICES SECRETS BRITANNIQUES, MAIS CONTINUEZ À M'APPELER "MILORD", CELA FAIT PLUS "CIVIL"!

D'ACCORD, MILORD!

L'Anglais a emmené Vic et Bi vers leur chambre, laissant Yoko seule et songeuse.

ÊTRE JAPONAISE... ENGAGÉE PAR L'INTELLIGENCE SERVICE... EN SUISSE... POUR UNE MISSION À LA FRONTIÈRE RUSSO-CHINOISE... ENFONCÉ, JAMES BOND!!

Le lendemain matin, dans le bâtiment bleu, les choses sérieuses commençaient pour le trio...

Tandis que Vic et Pol prenaient contact avec l'avion stratosphérique...

LE PILOTAGE DE CET APPAREIL EST ENTIÈREMENT AUTOMATIQUE ET SOUS LE CONTRÔLE D'UN ORDINATEUR DE BORD...

UN ORDINATEUR!! ON VA SE RAMASSER LA FIGURE!!...

...TOUTE ERREUR DE VOL OU ÉCART DE PROGRAMMATION EST IMMÉDIATEMENT CORRIGÉ... À VRAI DIRE, CET AVION VOLE TOUT SEUL...

ET NOUS, ON EST LÀ POUR LE GARNIR!

NON! POUR SUPERVISER L'ORDINATEUR ET LE REMPLACER EN CAS DE PANNE!

BAH! DE TOUTE FAÇON, CECI NE ME CONCERNE PAS, JE M'ENTRAÎNE JUSTE POUR VOUS SOUTENIR MORALEMENT!...

Yoko, de son côté, fait plus ample connaissance avec son planeur...

LA CELLULE EST EN POLYESTER ET RENFERME, EN PLUS DES INSTRUMENTS CLASSIQUES, UNE PLATE-FORME À INERTIE COUPLÉE AVEC UN CALCULATEUR NUMÉRIQUE QUI CONTRÔLERA VOTRE DESCENTE ET VOUS CONDUIRA DROIT AU CRATÈRE...

ET...POUR EN SORTIR?...

DEUX BOOSTERS FUSÉES À POUDRE... UN SEUL SUFFIT POUR VOUS ARRACHER AU CRATÈRE ET VOUS HISSER À 3.000 MÈTRES... LÀ, L'AVION PORTEUR VOUS RÉCUPÉRERA!

J'AI HÂTE D'ESSAYER CET APPAREIL...

JE VOUS COMPRENDS... MAIS L'EXEMPLAIRE EST UNIQUE, ET JE NE VEUX PRENDRE QU'UN MINIMUM DE RISQUES... VOTRE MISSION S'EFFECTUANT AUX INSTRUMENTS, VOUS APPRENDREZ À LE MANIER EN SIMULATEUR!...

Trois semaines ont passé... Un soir, après un vol d'entraînement, l'avion stratosphérique se pose sur la piste de l'usine... Vic est aux commandes...

OK, VIC!...!! EXCELLENT!!

HB-ZKC

WHIIIIIIOOO

PAAWWW

TOUT S'EST BIEN PASSÉ, STEVENS?

MILORD! MILORD!!

IMPECCABLE, MILORD!.. VIC S'EN TIRE SEUL SANS BAVURE!...

QUE SE PASSE-T-IL, WILSON? VOUS PARAISSEZ CONTRARIÉ!

LA JAPONAISE FAIT DES SIENNES AU SIMULATEUR...

YOKO?! QU'A-T-ELLE FAIT?...

RIEN! PRÉCISÉMENT, **ELLE NE VEUT PLUS RIEN FAIRE!!**...

Un instant plus tard, près du simulateur planeur...

QUE SIGNIFIE? ON CONTESTE?!

POUR LA 73e FOIS, JE VIENS DE DESCENDRE "POUR RIRE" DANS CE CRATÈRE DE CINÉMA... POUR LA 73e FOIS, ON M'A DIT: "PARFAIT, ON RECOMMENCE"... NON!! LA 74e SERA LA VRAIE OU JAMAIS!!

D'ACCORD! CELA MANQUE D'IDÉAL! MAIS JE DEVAIS ATTENDRE QUE L'ÉQUIPE VIC-STEVENS SOIT AU POINT... DEMAIN, VOUS VOLEREZ, ET, SI TOUT VA BIEN, ON ESSAYE L'ARRIMAGE!... SATISFAITE?

OUI, SI VOUS TENEZ VOTRE PROMESSE!

La nuit est venue... Yoko, dans sa chambre, se relaxe avant de dormir...

ENTREZ!

TOC TOC

AH? C'EST VOUS STEVENS!...

JE VOUS RAMÈNE LES AGRANDISSEMENTS PHOTOS DU CRATÈRE... JE N'Y AI RIEN VU DE PLUS QUE VOUS!

CETTE TRAÎNÉE NOIRE SUR LE FOND M'INTRIGUE!... EST-CE UNE CREVASSE?... OU UNE ROCHE DIFFÉRENTE?

VOUS SEREZ VITE FIXÉE!...

... CAR SI NOUS RÉUSSISSONS LA RÉUNION EN VOL DEMAIN, DUNDEE LANCERA LA MISSION DANS LES 48 HEURES...

CHUT! ÉCOUTEZ! ON MARCHE SUR LE TOIT!

ÇA VIENT DE LA SALLE DE BAIN...

KRRRRR KRRRRR BOM

LA TRAPPE DE VENTILATION EST OUVERTE!!

?!

UN SEUL GESTE DE FUITE, STEVENS, ET LA FILLE PAYE!... AIDE-LA À MONTER SUR LE TOIT!... ALLONS, VITE!!...

BENSON!

PARFAIT!... À TOI, STEVENS! MONTE PAR LA BAIGNOIRE ET VIENS LA REJOINDRE... C'EST PRÉFÉRABLE POUR SA SANTÉ!...

COMMENT A-T-IL EU ACCÈS AU TOIT?!

TOI SEUL M'INTÉRESSES, STEVENS... TU VAS M'EXPLIQUER LE POURQUOI DE CE QUI SE TRAME ICI!

N'Y COMPTE PAS!

ON T'Y FORCERA!... HO! LA FILLE! RAMASSE UNE DES ÉCHELLES DE CORDE, LÀ, SUR LE PARACHUTE!...

UN PARACHUTE!... DES LUNETTES À INFRAROUGE! JE COMPRENDS COMMENT IL EST ARRIVÉ ICI!...

R. Leloup

ET MAINTENANT, DIRECTION L'AUTRE EXTRÉMITÉ DU TOIT, ET TÂCHEZ DE MARCHER "SUR DES OEUFS"!...

OBÉISSEZ, YOKO, CE GARS-LÀ N'A PAS LA MENACE GRATUITE!

L'ÉQUIPE DE NUIT TRAVAILLE JUSTE ICI EN DESSOUS À LA PRÉPARATION DU VOL DE DEMAIN... COMMENT ÉVEILLER LEUR ATTENTION?... OH! IDÉE!...

DOUCEMENT, YOKO POUSSE L'ÉCHELLE DE CORDE LE LONG DE SON BRAS, ET...

POURVU QUE CE SOIT ASSEZ LOURD!

DZING

POF HOW!

HSF

HSF

?

UNE ÉCHELLE DE TRAPÉZISTE!

ELLE NE PEUT VENIR QUE DU TOIT...J'ALERTE LES GARS DE LA SURVEILLANCE!

MILORD! ON ME SIGNALE QU'UNE ÉCHELLE DE CORDE EST TOMBÉE DU TOIT DANS LE GRAND HANGAR... J'AI ENVOYÉ UNE ÉQUIPE LÀ-HAUT!

QUOI?! JE LES REJOINS!!...

À CET INSTANT PRÉCIS, SUR LE TOIT...

PAR ICI, VITE! IL Y A QUELQU'UN D'ÉTENDU!...OH! C'EST LA JAPONAISE!...

ELLE N'EST QU'ÉTOURDIE, MILORD...ELLE REVIENT À ELLE ET VA POUVOIR S'EXPLIQUER...

INUTILE DE CHERCHER ENCORE SUR LE TOIT, CELUI OU CEUX QUI ONT FAIT LE COUP SONT FILÉS PAR LÀ!

...À L'INSTANT OÙ L'ÉCHELLE PERÇAIT LA VERRIÈRE, IL M'A FRAPPÉE AVEC LE SILENCIEUX DE SON ARME... MALGRÉ SES AIRS DE DUR, STEVENS N'A PAS RÉSISTÉ, IL PARLERA!

OUI, HÉLAS!... BENSON CONNAÎTRA LA NATURE DE LA CARGAISON DE L'AVION... IL VENDRA L'INFORMATION À UNE PUISSANCE ÉTRANGÈRE... ET QUAND VOUS ARRIVEREZ AU CRATÈRE, D'AUTRES VOUS Y AURONT PRÉCÉDÉE!

UN SEUL MOYEN DE LES DEVANCER: LANCER IMMÉDIATEMENT LA MISSION...NOUS POUVONS PARTIR À L'AUBE!

VOUS ALLEZ ARRIVER DANS LA SOIRÉE...

IL ME RESTERA ASSEZ DE TEMPS POUR EXPLORER LE CRATÈRE AVANT LA NUIT, ET VOIR SI, OUI OU NON, **L'AVION S'Y TROUVE !...**

Le lendemain, aux premières lueurs de l'aube.

TOUJOURS RIEN CONCERNANT STEVENS ?

NON ! PAS LE MOINDRE INDICE !... CE QUI M'INCITE À NE PAS TRAÎNER... IL EST TEMPS DE GAGNER VOTRE PLANEUR, YOKO !

ENFIN ! L'INSTANT DE VÉRITÉ !

À LA MOINDRE RÉACTION DOUTEUSE DU PLANEUR, FAITES DEMI-TOUR ! ... O.K. ?!

O.K. !

LE PLUS DUR SERA DE SUPPORTER CE CASQUE DES HEURES !...

NOUS L'AVONS ALLÉGÉ AU MAXIMUM !

Et bientôt...

POUSSIN À CANARD... JE SUIS PRÊTE !

CANARD À POUSSIN... REÇU CINQ SUR CINQ... ON Y VA !...

Un instant plus tard, à la remorque du Turbo-Porter...

...Yoko prenait "son" altitude au-dessus du lac des Quatre-Cantons.

POUSSIN EN PARFAITE SANTÉ... ENVOYEZ MÈRE POULE !...

23

CONTRÔLE À "POUSSIN"; BIEN REÇU, TERMINÉ!... CONTRÔLE À "MÈRE POULE"; TENEZ-VOUS PRÊTS!...

DÉCOLLAGE DANS ONZE MINUTES!...

"MÈRE POULE" À CONTRÔLE; VÉRIFICATIONS TERMINÉES, GAGNONS LE SEUIL DE PISTE!...

WHiiii

MÈRE POULE! POUSSIN! CANARD! UNE VRAIE BASSE-COUR!... ET MOI, JE SUIS LE DINDON DE LA FARCE DANS CETTE EXPÉDITION INSENSÉE!

CESSE DE GLOUSSER, BOUCLE TA VERRIÈRE, ET VÉRIFIES-EN L'ÉTANCHÉITÉ!...

"MÈRE POULE" À CONTRÔLE; DEMANDONS AUTORISATION DE DÉCOLLER...

WHiiiiiiiiiiiii...

L'appareil vient se placer en bout de piste... et bientôt...

WHiiiiiiiiiiiii

Deux minutes plus tard, l'avion survolait le sommet du mont Pilatus..

ÇA Y EST, L'ORDINATEUR A ACCROCHÉ LE PETIT POUSSIN!

...et, après une rapide ascension, rejoignait le planeur toujours en remorque...

"MÈRE POULE" PRÊTE À RECUEILLIR "POUSSIN"!

ATTENTION "CANARD", JE DÉCROCHE!...

OK! ALLEZ-Y!

PIQUER LÉGÈREMENT POUR MAINTENIR MA VITESSE...

CLAP

L'ANGLE EST CORRECT... PARFAIT!... MAINTENANT, SORTIR LE SYSTÈME D'ARRIMAGE AVEC LA POMPE HYDRAULIQUE...

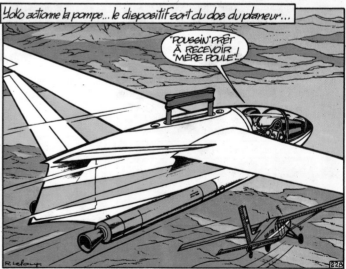

Yoko actionne la pompe... le dispositif sort du dos du planeur...

"POUSSIN" PRÊT À RECEVOIR "MÈRE POULE"!

R. Leloup

"MÈRE POULE" À "POUSSIN"... ATTENTION ! NE BOUGE PAS D'UNE PLUME !

ET VOILÀ ! LE PETIT POUSSIN CUEILLI AU VOL !!...

LE PATIN EST ENGAGÉ À FOND... RESTE LES VÉRINS-CONTACTS !...

Les vérins se bloquent dans le planeur...

LES RELAIS SONT ENCLENCHÉS...

...et le remontent contre le carénage aérodynamique...

ESSAYONS L'INTERPHONE.

VIC, POL, VOUS M'ENTENDEZ ?

TA VOIX EST PLUS DOUCE QU'UNE MÉLODIE, Ô FLEUR D'ASIE !... QUE DIS-TU DE LA PRÉCISION DE NOTRE MANOEUVRE D'ARRIMAGE ?...

LE RADAR DE POURSUITE FUT PRÉCIS... SES INFORMATIONS IMPECCABLEMENT TRADUITES PAR L'ORDINATEUR QUI A MERVEILLEUSEMENT PILOTÉ L'AVION... SOUS LA HAUTE SURVEILLANCE DE DEUX HOMMES DE VALEUR !!...

TOUT EST O.K. CÔTÉ RELAIS ÉLECTRIQUES... ENVOIE-MOI L'OXYGÈNE...

VOILÀ !... L'AIR PUR DES CIMES EN SUPERCONCENTRÉ !

PRESSION CORRECTE À LA VALVE D'ARRIVÉE... AUCUNE FUITE... TU PEUX FAIRE RAPPORT, VIC !

"MÈRE POULE" À CONTRÔLE... SUCCÈS TOTAL POUR LA PHASE UN... À VOUS DE DÉCIDER !...

CONTRÔLE À "MÈRE POULE"... PHASE DEUX AUTORISÉE... CONTACT RADIO SUR FRÉQUENCE "B" SOUS INDICATIF : "ALBATROS". BONNE CHANCE !...

VAS-Y, VIC, GRIMPE !

À cet instant, sur une colline voisine de l'usine de Sandweil.

L'OPÉRATION "ALBATROS" EST LANCÉE... PARFAIT !! MAINTENANT, AVERTIR LES AUTRES !!...

Sept heures plus tard, à 24.000 mètres d'altitude, dans le bleu de la stratosphère du ciel de Turquie, l'"Albatros" se prépare à réaliser la phase 3 de sa mission : son ravitaillement en vol...

OÙ EN EST LE "BIBERON", POL ?...

IL PLAFONNE À 18.000 MÈTRES JUSTE EN DESSOUS DE NOUS... IL NE PEUT MONTER PLUS HAUT, VIC... IL SERAIT TEMPS DE DESCENDRE...

OUI ! ON Y VA !

Dix minutes plus tard, et 6.000 mètres plus bas...

SILENCE RADIO ABSOLU SUR "B" ! INUTILE D'INFORMER CEUX QUI NOUS ONT DÉJÀ REPÉRÉS AU RADAR...

LE CIEL EST AVEC NOUS, TOUT VA SE PASSER AU-DESSUS DES NUAGES !

Vic sort la perche rétractable, aligne l'Albatros dans le sillage du Handley-Page "Victor", et s'approche à vitesse constante de l'entonnoir d'un des flexibles de raccordement...

MAINTENIR UNE SURVITESSE DE QUATRE NOEUDS SUR LE RAVI-TAILLEUR, SANS QUOI LA SONDE NE SE VERROUILLERA PAS...

TCHAC

ET VOILÀ ! QUATRE MINUTES POUR FAIRE LE PLEIN... C'EST LE TEMPS QUI NOUS EST IMPARTI POUR FAIRE DE MÊME !...

EST-CE À TON GOÛT ?!

OUI, SI J'EXCLUS L'ENNUI DE DEVOIR CONSTAMMENT REFERMER MA VISIÈRE POUR RESPIRER ENTRE CHAQUE BOUCHÉE...

Cinq minutes plus tard, ses réservoirs remplis, l'"Albatros" regagne la stratosphère...

NOUS SURVOLERONS BIENTÔT L'IRAN... LES CHOSES SÉRIEUSES VONT COMMENCER !

R. Leloup

24B

26

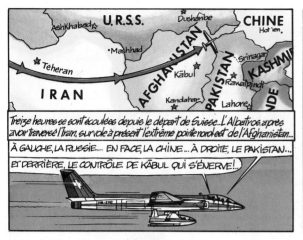

Treize heures se sont écoulées depuis le départ de Suisse. L'Albatros, après avoir traversé l'Iran, survole à présent l'extrême pointe nord-est de l'Afghanistan...

À GAUCHE, LA RUSSIE... EN FACE, LA CHINE... À DROITE, LE PAKISTAN...

ET DERRIÈRE, LE CONTRÔLE DE KÂBUL QUI S'ÉNERVE!...

KÂBUL-CONTRÔLE À ALBATROS HÔTEL-KILO-CHARLIE... VOUS VOUS ÉLOIGNEZ DU COULOIR DE VOL AUTORISÉ!... REVENEZ SUR LE CAP 153!...

CAUSE TOUJOURS! ON Y EST, ON Y RESTE!

PHASE QUATRE DANS CINQ MINUTES... OÙ EN ES-TU, YOKO?...

CIRCUITS ET OXYGÈNE SUR ALIMENTATION DE BORD... POL! REDONNE-MOI LES FRÉQUENCES DES RADARS QUI NOUS "ILLUMINENT"!

J'EN DÉCÈLE DEUX SUR LA BANDE "H"... LES CIVILS!... UN AUTRE SUR 3 GIGAHERZ DANS LA BANDE "S"... LES RUSSES!... PUIS UN QUATRIÈME SUR "D" QUI SEMBLE VENIR DE CHINE...

YOKO, DE GRÂCE, À LA MOINDRE "FAILLE", METS À FEU TES FUSÉES ET REMONTE!!... BONNE CHANCE, MOUSMÉ*!!

MERCI, POL! PROMIS, VIC! SAYONARA!*

* AU REVOIR!

Vic remonte les vérins, et, au signal de l'ordinateur, appuie sur la commande de largage... les rails d'accrochage s'écartent et libèrent le planeur de Yoko...

DEUX SECONDES DE RETARD, VIC!...

LE TEMPS D'UN REGRET, POL... J'AI LES BRAS EN PLOMB... POURVU QU'IL NE LUI ARRIVE RIEN!

VIC A HÉSITÉ!... ALLONS! CE N'EST PAS LE MOMENT DE S'ATTENDRIR! D'ABORD, BRANCHER LE BROUILLEUR RADAR...

25A

ENSUITE, RENTRER LE PATIN DORSAL... HO! À CETTE ALTITUDE, LA PORTANCE EST FAIBLE! ÇA DESCEND VITE!!

Après une longue descente contrôlée par le calculateur de navigation, Yoko a atteint la couche nuageuse...

RIEN À FAIRE! JE DOIS RENTRER LÀ-DEDANS... POURVU QUE LE PLAFOND NE SOIT PAS TROP BAS!

Soudain!...

WHIII

DES "MIG 21" SOVIÉTIQUES!!

R. Leloup   25B

Yoko plonge vers l'énorme nuage..

WHHHH!!! WHHH!!!

ILS NE M'ONT PAS APERÇUE!.. SANS L'HÉSITATION DE VIC, JE LEUR PASSAIS DEVANT LE NEZ!...

...mais à peine à l'intérieur...

UNE CERTITUDE: MON BROUILLEUR RADAR FONCTIONNE!

MAIS!?.. **JE MONTE!** LE VARIOMÈTRE INDIQUE DIX MÈTRES-SECONDE.. VITE! LES AÉROFREINS!!

PEU EFFICACES... JE DESCENDS À PEINE!

CE CUMULO-NIMBUS EST UN NID D'ASCENDANCES...SI JE N'EN SORS PAS RAPIDEMENT, JE VAIS ARRIVER "TROP LONG".

Et après dix minutes de lutte dans les remous...

OUF!..VOYONS SI LE PAYSAGE CORRESPOND AU LECTEUR DE CARTES...

CELA CONCORDE, MAIS JE SUIS 3.000 PIEDS TROP HAUT...MAINTENIR LES AÉROFREINS!

26A

Sa correction d'altitude effectuée, Yoko referme ses aérofreins et engage son planeur dans un imposant défilé...

LES "ROCHERS SENTINELLES" LA "VALLÉE DE LA DÉSOLATION". LES PHOTOS NE MENTAIENT PAS, C'EST FÉÉRIQUE... DANS TRENTE SECONDES, VIRER À DROITE À 27°...

Et trente secondes plus tard...

LE CRATÈRE!...

26B

R.Leloup

CETTE FOIS, CE N'EST PLUS DE LA SIMULATION... OH! LÀ, AU FOND, LA TACHE EN FORME D'ÉTOILE!...

INEXPLICABLE!... MAIS, À CÔTÉ, C'EST BIEN UNE CREVASSE!...

Et, après un tour complet...

JE DOIS ME POSER PARALLÈLE-MENT À CETTE FISSURE... VIRER LE PLUS PLAT POSSIBLE... GARE AU DÉRAPAGE LATÉRAL!...

PFFF... À UN CHEVEU DU ROCHER!!...

27A

CE DÉRAPAGE VA FINIR EN CASSE... CENT MÈTRES AVANT LA CREVASSE!... JE RISQUE!!... ROUES... AÉROFREINS...

PARACHUTE...

...et s'immobilise en quelques mètres...

UN MÈTRE DE PLUS, ET JE MESURAIS LA CREVASSE...

D'ABORD, AVERTIR VIC ET POL QUE TOUT EST O.K.!... ENSUITE, PRÉPARER LE PLANEUR POUR LE RETOUR... ET ENFIN, EXPLORER CE CRATÈRE APPAREMMENT **DÉSERT!!**

27B

À 20 kilomètres du cratère et à 24.000 mètres plus haut, l'"Albatros" patrouille en attente...

TÜÜ... TÜÜ... TÜ... TÜ...

LE SIGNAL! DEUX LONGS, DEUX BREFS... ELLE A RÉUSSI!

OUF! JE N'AI JAMAIS VÉCU DES MINUTES AUSSI LONGUES!

JE LUI ENVOIE LE "TOP" DE RÉCEPTION... TOI, SIGNALE À KÂBUL QUE, NOTRE GYRO REFONCTIONNANT, NOUS METTIONS LE CAP SUR RAWALPINDI... ICI COMMENCE NOTRE MISSION "OFFICIELLE": VENDRE CET AVION!...

TU CROIS QU'IL INTÉRESSERA LES "GENS DU COIN"?!...

NUL DOUTE!... LE SOL DE CES PAYS RENFERME DES RESSOURCES NON EXPLOITÉES, ET S'ILS NE PEUVENT S'OFFRIR UN SATELLITE DE RECHERCHES GÉOLOGIQUES, LA LOCATION OU L'ACHAT DE CET AVION SONT À LEUR PORTÉE... VOILÀ POURQUOI...

...ILS ONT DÉLÉGUÉ LEURS EXPERTS QUI NOUS ATTENDENT À RAWALPINDI ET AUTORISÉ LE SURVOL DE LEUR TERRITOIRE...

IL INTÉRESSE AUSSI LES DEUX CHASSEURS RUSSES QUI CERCLENT ICI EN DESSOUS!

SANS IMPORTANCE!... NOUS SOMMES TROP HAUT POUR EUX... ILS DÉCROCHERONT AU DESSUS DU PAKISTAN!!...

L'ESSENTIEL, C'EST QU'ILS N'Y SOIENT PLUS QUAND, DANS 24 HEURES, NOUS VIENDRONS RÉCUPÉRER YOKO!

Dans le cratère, Yoko, après avoir replié le parachute et refermé les aérofreins, plaçait son planeur en position de décollage...

CINQUANTE MÈTRES SUFFISENT, ET J'EN AI DEUX CENTS!

DANS DEUX HEURES, IL FERA NUIT... J'AI LE TEMPS D'EFFECTUER UN TOUR RAPIDE DU CRATÈRE... COMMENÇONS PAR LE POINT LE PLUS ÉLOIGNÉ...

EN SUIVANT LA CREVASSE, J'ARRIVERAI À CETTE INTRIGANTE "ÉTOILE NOIRE"!...

Yoko parvenait bientôt au centre géographique du cratère...

TOUT A ÉTÉ SOUFFLÉ ET CALCINÉ DU CENTRE VERS L'EXTÉRIEUR... MAIS PAR QUOI?... SERAIT-CE, LÀ AU MILIEU, LES RESTES D'UNE MÉTÉORITE?

SI JE M'ATTENDAIS À CELA!!... CES PIERRES SONT SCULPTÉES! IL Y AVAIT, JADIS, UNE CIVILISATION À CET ENDROIT... OH! MAIS!... IL N'Y A PAS QUE DES PIERRES!

DES OSSEMENTS!!... CECI EST UN AUTEL OÙ FURENT IMMOLÉS DES ANIMAUX!...

SI CECI... ÉTAIT UN ANIMAL!...

Soudain, Yoko perd l'équilibre...

HOLA!?...QUE M'ARRIVE-T-IL?!!...

C'EST COMME SI QUELQUE CHOSE D'INVISIBLE M'AVAIT POUSSÉE, MAIS!!... **LE SOL EST EN MÉTAL!!** OOH!?MA BOUSSOLE S'AFFOLE!...

JE CROIS COMPRENDRE!...CE CRATÈRE A ÉTÉ FORMÉ PAR L'IMPACT D'UN MÉTÉORE FERRELIX... LE MÉTAL EN FUSION S'EST ÉTALÉ AU FOND, ET, EN SE REFROIDISSANT, A DONNÉ NAISSANCE À LA CREVASSE...

CETTE MASSE ENGENDRE UN PUISSANT CHAMP MAGNÉTIQUE DONT L'ÉPICENTRE SE SITUE ICI!! LES ARMATURES MÉTALLIQUES DE MA COMBINAISON EN SUBISSENT L'ATTRACTION...FILONS!!

JE M'ÉCARTE DE MA MISSION: **L'AVION!**...LE SEUL ENDROIT ENCORE POSSIBLE EST CETTE ZONE D'OMBRE ET D'ÉBOULIS... IL FAUDRAIT FRANCHIR LA CREVASSE.

INUTILE DE SAUTER QUAND LA NATURE M'OFFRE UN PONT!

CECI N'EST PAS L'OEUVRE DE LA NATURE... **ON A COMBLÉ LA CREVASSE!** OH! DES TRACES DE PNEUS GÉANTS... **COMME CEUX DE L'AVION!!**...

CES TRACES SONT À DEMI EFFACÉES, MAIS ENCORE TROP NETTES POUR ÊTRE D'UN PASSÉ LOINTAIN...QU'EST-CE LÀ, À DROITE?...ON DIRAIT DES PIERRES RANGÉES RÉGULIÈREMENT...

Yoko s'approche du point qui l'intrigue...

ÇA' PAR EXEMPLE!?... **DES TOMBES!!**...

ELLES SONT DE PETITE TAILLE, COMME LE CRÂNE DE TANTÔT...CERTAINES PARAISSENT RÉCENTES. LES MORTS NE S'ENTERRANT PAS EUX-MÊMES, **IL Y A DONC DES VIVANTS!**...

LA MINUTE DE SILENCE EST TERMINÉE, **MADEMOISELLE TSUNO!**...

VOUS!! ICI!!...

31

Devant Yoko stupéfaite, Stevens se dresse, menaçant...

OUI, MOI, STEVENS! SURPRENANT, N'EST-CE PAS?...

C'EST IMPENSABLE!! COMMENT ÊTES-VOUS ARRIVÉ ICI??!!

EN PARACHUTE!...IL Y A UNE DEMI-HEURE... C'ÉTAIT JUSTE! J'AI FAILLI VOUS RATER!... L'AVION QUI M'A AMENÉ DE SUISSE EN AFGHANISTAN AYANT PRIS DU RETARD...

VOTRE ENLÈVEMENT ÉTAIT DONC UNE MISE EN SCÈNE! OÙ VOULEZ-VOUS EN VENIR?

J'ÉTAIS, AU DÉPART, DÉSIGNÉ POUR EFFECTUER CETTE MISSION, ET ESCOMPTAIS, SI JE RETROUVAIS LES DOCUMENTS, M'EN EMPARER ET LES MONNAYER TRÈS CHER! HÉLAS! VOUS SURGISSEZ À PLEUMEUR-BODOU ET VOUS VOUS FAITES ENGAGER À MA PLACE...

VOUS DÉCIDEZ ALORS...DE ME FAIRE SUPPRIMER!!...

NON! DE VOUS FAIRE PEUR ET ABANDONNER...PEINE PERDUE! ALORS JE MODIFIE MON PLAN...FAIS SUPPRIMER LES DEUX PILOTES DÉSIGNÉS AVEC MOI POUR LA MISSION, ET VOUS LAISSE VENIR EN SUISSE...MES HOMMES RATANT LEUR COUP DANS LA "SUSTEN", J'INTERVIENS AVEC L'HÉLICOPTÈRE ET LES ÉLIMINE. EN GAGNANT LA CONFIANCE DE CE CHER MILORD...

QUI, SUR MON CONSEIL, ENGAGE VOS COPAINS...UNE FOIS L'ENTRAÎNEMENT AU POINT, JE ME FAIS ENLEVER DEVANT VOUS...VOTRE RÉACTION VA DANS MON SENS, ET, ARRIVÉ EN AFGHANISTAN, JE REÇOIS LA CONFIRMATION DE VOTRE DÉPART...IL ME RESTE À RALLIER LE CRATÈRE AVEC UN AVION LOUÉ, QUE J'ABANDONNE ICI AU-DESSUS...

IL VA S'ÉCRASER CHEZ LES RUSSES, QUI M'ENVOIENT LEURS CHASSEURS!...AURIEZ-VOUS VU AVANT MOI "OÙ MÈNENT CES TRACES DE ROUES?

BIEN SÛR... À L'AVION!... DU MOINS, À SON HANGAR... ET NOUS ALLONS VÉRIFIER ENSEMBLE S'IL EST À L'INTÉRIEUR! DEMI-TOUR!...

30A

Sous la menace de l'arme de Stevens, Yoko rejoint les mystérieuses traces...

UN SEUL COUP D'ŒIL DERRIÈRE CE ROCHER, ET VOUS EN SAUREZ AUTANT QUE MOI!...

?

UNE GROTTE! QU'EST-CE QUI VOUS A EMPÊCHÉ DE L'EXPLORER?...

QUAND JE ME SUIS POSÉ EN PARACHUTE, UNE DIZAINE D'INCONNUS, APPAREMMENT ASSEZ PETITS, S'Y SONT RÉFUGIÉS...J'AI PRÉFÉRÉ VOUS ATTENDRE POUR ENTRER LÀ-DEDANS...PASSEZ DEVANT, J'ASSURE VOS ARRIÈRES!...

QUELLE TOUCHANTE ATTENTION!!

D'UN CÔTÉ, STEVENS ET SA MITRAILLETTE...DE L'AUTRE, LES "PETITS LUTINS" DE L'AVION FANTÔME... OH! QUELQUE CHOSE BRILLE LÀ-DEDANS!!

R.Leloup

30E

La curiosité l'emportant sur la crainte, Yoko pénètre dans la grotte et braque sa torche électrique...

L'AVION!!

PRESQUE INTACT!! UN TEL ÉTAT DE CONSERVATION SOUS-ENTEND UNE MAIN- TENANCE RÉGULIÈRE!...

HORUS

MAIS QUI? ET POURQUOI?!...

CE BAC A MERVEILLEUSEMENT TENU LE COUP!...VOYEZ S'IL EN EST DE MÊME POUR SA CARGAISON!...

31A

TOUT A ÉTÉ VIDÉ À L'INTÉRIEUR!... IL N'Y A MÊME PLUS DE SIÈGES!...

ET DANS LA SOUTE ARRIÈRE?...

KRîîîîîîî

RHAAWW

HAAAGLL...

TRRAAAAAAA

NE TIREZ PAS! C'EST UN...

31C

Yoko a récupéré sa torche et examine l'animal...

VOUS L'AVEZ TUÉ, STEVENS!!

CE N'EST QU'UN SINGE! LES MYSTÉRIEUX HABITANTS DU CRATÈRE NE SONT QUE DES BABOUINS! FAUSSE ALERTE!

PAS DE VOTRE AVIS!... S'ILS ENTERRENT LEURS MORTS, ILS PEUVENT LES VENGER... FILONS D'ICI!...

JE NE PARTIRAI QUE DEMAIN À L'AUBE AVEC VOTRE PLANEUR... SI J'AI LES DOCUMENTS, VOUS AVEZ LA VIE SAUVE!... DANS LE CAS CONTRAIRE, VOUS ME GÊNEZ DANS MON CHANTAGE, ET JE VOUS SUPPRIME!

TROP TARD, STEVENS! VOTRE VIE EST AUSSI MENACÉE QUE LA MIENNE... LE PIÈGE EST REFERMÉ!...

?

LES BABOUINS!! IL FAUT FORCER LE PASSAGE!... SUIVEZ-MOI!!...

CLIC

Méprisant l'ordre de Stevens, Yoko coupe sa torche et bondit vers le fond de la grotte...

STOP! OU JE...

TRRRAAAA

QU'ELLE AILLE AU DIABLE! LES SINGES S'EN OCCUPERONT! ARRIÈRE, VOUS AUTRES!!

TRRRAAAKLAK

CHARGEUR VIDE... L'AUTRE... DANS MA POCHE...

Mais Stevens n'a pas le temps de s'en saisir... déjà les babouins sont sur lui...

HAAAAA...

YOKOOOOHH

MÊME S'IL A VOULU ME TUER, JE N'AI PAS LE DROIT DE L'ABANDONNER AUX SINGES!...

TENEZ BON! STE...

?

KLAK

HOOW!

SPLAF

Sous la violence du choc, Yoko a perdu connaissance... Déjà un babouin s'approche, le gourdin levé...

ffffik

NON!! LAISSE-LA!...

CLAC

Et lorsque Yoko reprit conscience...

ÇA SUFFIT, DJEILA! ELLE REVIENT À ELLE!

MMM??

QUI... QUI ÊTES-VOUS?

JEUNE FILLE, TU CONTEMPLES JOHN SMITH... DU MOINS, CE QU'IL EN RESTE... APRÈS QUARANTE ANS DANS CE TROU, C'EST UNE RÉUSSITE!

VOUS ÉTIEZ DANS L'AVION?

J'EN ÉTAIS LE MÉCANICIEN... ET LE SEUL QUI AIT SURVÉCU!!... SEUL AVEC DEUX COUPLES DE SINGES, EMBARQUÉS À KARACHI, ET QUI SE SONT MULTIPLIÉS AU COURS DES ANS...

SINGES QUE VOUS AVEZ DRESSÉS À TUER!

HAA! QUI DONC A TUÉ L'AUTRE!!... TROIS DE MES MÂLES SONT MORTS!!... MAIS CET HOMME VA PAYER!!... EN CE MOMENT, IL EST ATTACHÉ À LA PIERRE DU SACRIFICE ET LE DIEU VA VENIR L'EXTERMINER!

LE DIEU?!!... QUEL DIEU?...

CELUI, QUI, CHAQUE NUIT, DICTE SA LOI EN CE LIEU!... ÉCOUTEZ!... IL VIENT!...

BRRROOOOMM!

ÇA?!... CE N'EST QUE LE TONNERRE! UN ORAGE!... LA FOUDRE!... L'ÉTOILE NOIRE!... JE COMPRENDS!!

...CHAQUE SOIR, SOUS L'INFLUENCE MA-GNÉTIQUE DU SOL, UN ORAGE ÉCLATE AU-DESSUS DU CRATÈRE... LA FOUDRE LE FRAPPE EN SON CENTRE... LÀ OÙ ILS ONT CONDUIT STEVENS!!

C'EST UN ACTE INHUMAIN DIGNE DE VOS SINGES!...

CE NE SONT PLUS DES SINGES!... J'EN AI FAIT DES HOMMES ET LEUR AI DONNÉ DES LOIS!

À COUPS DE FOUET!

Avant que le vieillard ne puisse réagir, Yoko bondit et lui arrache son fouet...

LE FOUET! C'EST MA SEULE CHANCE!!...

...puis se fraye, au travers des singes, un chemin vers la sortie...

ARRÊTEZ-LA!!

RECULEZ!!

CLAC

33B

Au moment où Yoko parvient au seuil de la grotte, un singe y pénètre avec une torche...

IL ME FAUT CETTE TORCHE!

DONNE!!

Yoko se précipite hors de la grotte tandis qu'un éclair illumine le cratère, faisant reculer les singes épouvantés...

BRROOM...

ALLEZ LA CHERCHER!

Mais les imprécations et les menaces du vieillard n'ont plus prise sur les singes apeurés...

FROUSSARDS!! J'IRAI MOI-MÊME!...

34A

À cet instant, Yoko franchissait le "pont" sur la crevasse...

STEVENS NE MÉRITE PAS LES RISQUES QUE JE PRENDS, MAIS NE RIEN TENTER SERAIT UNE LÂCHETÉ!...

...et arrivait bientôt à "l'étoile noire"...

STEVENS!?

YOKO!! POUR L'AMOUR DU CIEL, FAITES VITE!!

POUR CE QUI EST DU CIEL, IL EST À DEUX DOIGTS DE NOUS TOMBER SUR LA TÊTE!... ATTENTION! PAS DE TRAÎTRISE, SINON, JE VOUS ABANDONNE!...

BOUGEZ PAS!

QUE VOULEZ-VOUS QUE JE FASSE?...

LES SINGES M'ONT BATTU À MORT... J'AI L'ÉPAULE GAUCHE DÉMISE ET SÛREMENT DES CÔTES BRISÉES...

L'ESSENTIEL EST D'ARRIVER AU PLANEUR, D'ENLEVER LE FOURBI DERRIÈRE LE SIÈGE ET DE VOUS Y GACER!...

Les derniers liens vont céder... quand soudain...

CLAC

R. Leloup

34B

Au fracas du tonnerre succède un silence de mort... Yoko, la tête bourdonnante, tente de retrouver son équilibre...

OOH! J'AI BIEN CRU QUE MES YEUX VOYAIENT LA LUMIÈRE POUR LA DERNIÈRE FOIS!...

Mais c'est le ciel qui répond... La foudre, pour la seconde fois, frappe avec une violence accrue le centre du cratère, dévoilant la consternante vérité à Yoko...

DISPARUS! SOUFFLÉS DANS LA CREVASSE!...

Soudain, l'une des branches de la puissante décharge file le long de la crevasse...

ET... LES AUTRES?!!...

HO?.. STEVENS?.. MONSIEUR SMITH?.. STEVENS?!!...

...et heurte au passage le planeur de Yoko...

SCRSHH

...enclenchant le relais de mise à feu du booster fusée gauche...

PSHHH

36A

Toute la puissance de la charge se libère... le planeur décolle... et, sous l'effet de la poussée décentrée, part en virage à droite...

WMOOOooo

LE PLANEUR!!...

Oubliant la menace de la foudre, Yoko s'est dressée d'un bond!

IL VA S'ÉCRASER!.. NOON!!...

Et l'inévitable se produit: le planeur percute la falaise...

SCRASH

36B

La mort dans l'âme, Yoko rejoignait l'épave de son planeur...

QUEL GÂCHIS !

...et s'y effondrait, vaincue par le découragement.

C'EST MA FAUTE !...SI JE N'AVAIS VOULU DE-LIVRER STEVENS, LE VIEIL HOMME SERAIT ENCORE EN VIE... JE N'AURAIS JAMAIS DÛ ACCEPTER CETTE MISSION !

ALLONS, JE DÉRAISONNE ! STEVENS SERAIT VENU À MA PLACE ET AURAIT TOUT FAIT POUR SUPPRIMER CE TÉMOIN... MES NERFS ME LÂCHENT... JE DEVRAIS DORMIR UN PEU TANT QU'IL FERA NUIT, LES SINGES ME LAISSERONT TRANQUILLE. MAIS DEMAIN !

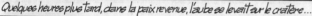

Quelques heures plus tard, dans la paix revenue, l'aube se levait sur le cratère...

...où Yoko faisait le bilan de la casse...

LE SIÈGE A RÉSISTÉ... LA CAMÉRA, LES MICROFILMS, L'ÉQUIPEMENT DE SURVIE ET MÊME LA BONBONNE DE PROPANE QUI DEVAIT ME PERMETTRE, AU BESOIN, DE BRÛLER LES DOCUMENTS... HÉ ! MAIS... VOILÀ UNE ARME ANTI-SINGES !!...

SEUL LE MATÉRIEL CASÉ DERRIÈRE

QUAND ON PARLE DU LOUP ! CELUI-CI N'A PAS L'AIR AGRESSIF, "IL"... OU PLUTÔT "ELLE" SEMBLE CATASTROPHÉE ?!...

ÎÎÎ!...ÎÎÎÎK !

TOUT DOUX !... DU CALME !... OUI, JE VAIS TE SUIVRE !...

...AVEC LA BONBONNE DE PROPANE !...

La guenon entraîne Yoko au centre du cratère...

ILS ONT SORTI LE VIEILLARD DE LA CREVASSE ! POURVU QU'IL...

LE CIEL SOIT LOUÉ... DJEÏLA VOUS A TROUVÉE !

VIVANT ! MAIS DANS QUEL ÉTAT !... BRÛLURES, FRACTURE OUVERTE... VOUS NE POUVEZ RESTER ICI !

Impressionnés par "celle qui commande au feu", les singes obéissent à Yoko... Après avoir couché le vieillard sur un débris d'aile du planeur, le petit groupe, portant cette civière improvisée, gagne une faille dans la falaise...

DOUCEMENT !

J'AIMERAIS ÊTRE RAMENÉ À MA COUCHE...DJEÏLA VOUS GUIDERA... MÉFIEZ-VOUS DES MÂLES... ILS N'OBÉIRONT QUE... S'ILS ONT PEUR...DE VOUS...

COMPRIS ! CE GROGNON VA SERVIR D'EXEMPLE !

VOUS ALLEZ TOUS M'AIDER !... TOI AUSSI !!...

PRATIQUE, CET ALLUMEUR ÉLECTRIQUE !...

KAÏÏÏ !

WOUF

La gorge s'élargit en une poche intérieure dont les flancs sont percés de multiples ouvertures...

VIVRE QUARANTE ANS EN TROGLODYTE, IL FAUT LE FAIRE!...

Mais à l'intérieur...

OH! CE N'EST PAS DÉPOURVU D'UN CERTAIN "CONFORT"!

VILAINE FRACTURE!...IL ME FAUDRAIT DU TISSU ET DES BOUTS DE BOIS POUR CONFECTIONNER UNE ATTELLE...

DANS LA PIÈCE...À CÔTÉ...

LA PIÈCE À CÔTÉ!...ÇA NE PEUT ÊTRE QU'ICI!...

OH!?

QUEL BRIC-À-BRAC!...DES TAPIS... DES ÉTOFFES...ET MÊME DES MACHINES À COUDRE!...TOUT CELA NE POUVAIT SE TROUVER DANS L'AVION?!...IL A DONC EU DES CONTACTS AVEC L'EXTÉRIEUR!...

J'AI FAIT DE MON MIEUX!...JE VAIS VOUS DONNER UN PUISSANT ANALGÉSIQUE QUI CALMERA VOTRE DOULEUR ET VOUS FERA DORMIR...DITES-MOI, D'OÙ PROVIENNENT TOUS CES TAPIS, CES ÉTOFFES?

LES SINGES!...PILLÉ UNE CARAVANE...IL Y A LONGTEMPS... PAS PU...EMPÊCHER...

AVALEZ CE COMPRIMÉ!...

JAMAIS PU SORTIR D'ICI... CASSÉ LE GENOU SUR LA FALAISE!...DERRIÈRE MOI, SOUS LA TENTURE...CE QUE VOUS CHERCHEZ!... LISEZ AU DOS...

Yoko soulève la tenture, découvrant une niche où sont entassés des dossiers...

?

LES ARMOIRIES BRITANNIQUES?... LES DOSSIERS SECRETS!!

LES DOCUMENTS SONT JAUNIS, MAIS LISIBLES...QUE VEUT-IL DIRE PAR LISEZ AU DOS?...OH!...IL S'EST SERVI DU DOS DES ARCHIVES POUR Y ÉCRIRE SON JOURNAL INTIME!!...

C'EST UNE VRAIE CONFESSION!...SI JE RENDS CES DOCUMENTS AUX ANGLAIS ELLE DEVIENDRA PUBLIQUE...À MOINS D'EN TIRER DES MICROFILMS SÉPARÉS! LES SINGES VONT M'Y AIDER...

Une heure plus tard, Yoko et les singes avaient ramené, dans la carcasse du planeur, tout le matériel devant l'entrée de la "cité"...

ET MAINTENANT, ALLER CHERCHER LES DOCUMENTS ET MONTER LA CAMÉRA... AH?! ILS ONT TROUVÉ LE PARACHUTE DE STEVENS...

Bientôt tout était en place...

AVEC CETTE CAMÉRA ÉLECTRONIQUE, AUCUN RATÉ POSSIBLE... MAIS, CELA VA ME PRENDRE DU TEMPS! O.K! ON Y VA!...

Quatre heures se sont écoulées.

PFFF! PLUS DE MILLE PAGES RECTO-VERSO... J'AI BIEN CRU MANQUER DE PELLICULE... MARQUER LES CARTOUCHES, ET DÉTRUIRE LES ORIGINAUX!...

Sous le regard surpris des singes, Yoko froisse les papiers, les entasse, et... y met le feu...

JE CONSERVE LES CARTONS INTACTS... RESTE À TROUVER UNE CACHETTE POUR LES MICROFILMS!...

HOLÀ! L'AIR CHAUD SOULÈVE LES PAPIERS! OH! ÇA ME DONNE UNE IDÉE POUR SORTIR D'ICI!!...

ET VOILÀ! CES DOCUMENTS MAUDITS RÉDUITS EN CENDRES... CINQ HEURES À PEINE AVANT LE RETOUR DE VIC ET POL... S'AGIT DE NE PAS TRAÎNER!

PARTIR?!... POSSIBLE... SEULEMENT PAR LA FALAISE... LES SINGES... EMPÊCHERONT!...

PAS PAR LA FALAISE!... J'AI MIEUX!... ET LES SINGES N'Y VERRONT... QUE DU FEU!

SA TEMPÉRATURE AUGMENTE!...

Après avoir amené l'une des machines à coudre, Yoko dépliait son parachute...

QUE?... QU'ALLEZ-VOUS FAIRE?...

COUDRE MON PARACHUTE ET CELUI DE STEVENS BORD À BORD POUR CONSTITUER L'ENVELOPPE D'UNE MONTGOLFIÈRE, DONT L'AIR CHAUD ME SERA FOURNI, PAR MA BONBONNE DE PROPANE!...

LA TENTATIVE N'EST PAS GRATUITE!... LA PUISSANCE DE L'ÉMETTEUR DE SECOURS EST LIMITÉE ET NE PEUT SURMONTER LE CHAMP MAGNÉTIQUE RAYONNANT DU FOND DU CRATÈRE... MAIS EN ALTITUDE, TOUT SERA DIFFÉRENT...

TCHAC
TCHAC
TCHAC

TERMINÉ AVEC LA COUTURE... IL EST GRAND TEMPS D'ACHEVER MON BRICOLAGE... AH! IL S'EST ENDORMI!...

VEILLE SUR LUI, DJEILA!

Et, devant les singes intrigués, Yoko installe son dispositif sur le sol du cratère...

COMPTE TENU DES ÉLÉMENTS DONT JE DISPOSE, JE NE PUIS FAIRE MIEUX... L'ABSENCE DE VENT DANS LE CRATÈRE VA FACILITER LE GONFLAGE...

Après avoir endossé le harnais du parachute...

FIXER MA RADIO, PUIS, MON CASQUE!

..Yoko enfile son casque et y raccorde sa radio

AINSI, J'AI LES MAINS LIBRES POUR M'OCCUPER DE MON "BALLON"!.. MES GANTS ET PUIS ON Y VA!...

Sous la dilatation de l'air surchauffé, l'enveloppe improvisée s'enfle et s'arrondit rapidement...

CELA DÉPASSE MES ESPÉRANCES, ET LES SINGES, IMPRESSIONNÉS, ONT PRIS LEURS DISTANCES... ATTENTION! **LE BALLON SE DRESSE!**

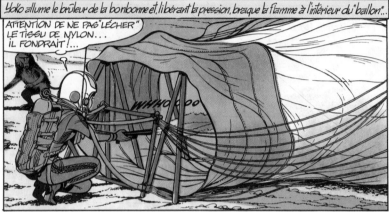

Yoko allume le brûleur de la bonbonne et, libérant la pression, braque la flamme à l'intérieur du "ballon"...

ATTENTION DE NE PAS "LÉCHER" LE TISSU DE NYLON... IL FONDRAIT!...

WHHOROO

40A

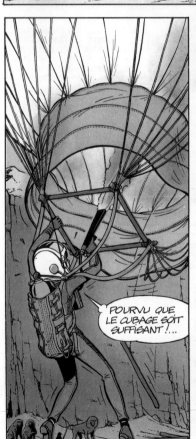

POURVU QUE LE CUBAGE SOIT SUFFISANT!...

IL L'EST!

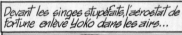

Devant les singes stupéfaits, l'aérostat de fortune enlève Yoko dans les airs...

...et prend rapidement de l'attitude...

J'AI "ACCROCHÉ" LE VENT!... JE COMMENCE À DÉRIVER!...

R.Leloup 40B

J'AI CONSOMMÉ, AU MOINS, LA MOITIÉ DE LA BONBONNE... JE VAIS DONNER DE PETITS COUPS DE FLAMME À INTERVALLES RÉGULIERS POUR MAINTENIR L'ALTITUDE...

CETTE TRAÎNÉE, DANS LE CIEL?!... C'EST L'ALBATROS!...

En effet, 10.000 mètres plus haut...

AUCUN CONTACT RADIO!... LE RADAR SITUE BIEN UN "OBJET" QUI VOLE JUSTE EN DESSOUS DE NOUS... MAIS C'EST TRÈS FLOU!... SÛREMENT DES OISEAUX!...

ATTENDS!... J'AI QUELQUE CHOSE SUR LA FRÉQUENCE "B"! C'EST TRÈS FAIBLE!...

PIULU... POUSSIN À KRRR... BATROS... PIULU... EN BALLON... PIULU... ÉMET KRRR... SECOURS...

C'EST YOKO!... ELLE UTILISE SON ÉMETTEUR DE SECOURS... PARLE DE BALLON... POL, GUIDE-MOI! ON DESCEND VOIR TON "OBJET" FLOU!...

Et après une rapide descente...

VIC, POL! JE VAIS TOUT VOUS RÉSUMER... ENREGISTREZ-LE, PUIS REMONTEZ!

T'ABANDONNER?!... PAS QUESTION!!... L'ENREGISTREUR DE BORD EST BRANCHÉ!... RACONTE!...

UN BALLON!?... C'EST UNE HISTOIRE DE FLOU!... EUH! DE FOU!...

Rapidement, Yoko relatait son aventure...

...EN CONCLUSION: UN HOMME EST BLESSÉ, ET SES JOURS SONT EN DANGER SI L'ON N'INTERVIENT PAS IMMÉDIATEMENT!... POL, ALERTE LA BASE LA PLUS PROCHE... QU'ILS NOUS ENVOIENT UN HÉLICOPTÈRE AVEC UN MÉDECIN!...

LA BASE LA PLUS PROCHE EST EN RUSSIE, DONT NOUS VENONS DE FRANCHIR LA FRONTIÈRE... SI J'EN CROIS MON RADAR, LEURS CHASSEURS SERONT SUR NOUS DANS PEU DE TEMPS... LES ENNUIS AUSSI!

ALORS, NE PERDONS PAS LE NÔTRE! RETRANSMETTEZ, EN PUISSANCE, SUR LA FRÉQUENCE INTERNATIONALE, CE QUE JE VOUS AI RACONTÉ!

DANS QUEL BUT ??!

INTERNATIONALISER L'AFFAIRE, AFIN D'OBTENIR LE MAXIMUM D'AIDE POUR **SORTIR L'AVION DU CRATÈRE!**...

JE PERDS DE L'ALTITUDE!...

JE DOUTE, YOKO, QUE LES ANGLAIS DÉPENSENT UN PENNY POUR CETTE FANTAISIE!...

J'AI LE MOYEN DE LES Y FORCER, VIC!... ATTENTION! MA BONBONNE DE PROPANE EST PRESQUE VIDE... JE DOIS ME POSER... JE VOUS RAPPELLE APRÈS!...

R. Leloup.

AU SOL, SANS CASSE, VIC!...

O.K.! J'AI CONTACTÉ LES RUSSES, ILS NOUS ENVOIENT HÉLICOPTÈRE, MÉDECIN, ET... CHASSEURS!... ON EST GÂTÉS!

DEUX MOIS PLUS TARD... Dans le cratère, où bien des choses ont changé, un hélicoptère russe se pose...

TOUT EST EN PLACE, VIC ?...

OUI, ILS N'ATTENDENT QUE MON SIGNAL !...

BIENVENUE CHEZ VOUS, MONSIEUR SMITH !

YOKO ! QUELLE JOIE DE VOUS REVOIR !...

LES HÔPITAUX RUSSES M'ONT L'AIR EXCELLENTS ! ILS VOUS ONT RENDU VOTRE SOURIRE... J'AVOUE LE PRÉFÉRER À VOS COUPS DE FOUET !!...

YOKO, J'AI HONTE !... J'AI FAILLI DEVENIR FOU AU MILIEU DE MES SINGES... ET, SI VOUS N'ÉTIEZ PAS VENUE... MAIS ?! OÙ SONT PASSÉS MES SINGES ?...

ILS NOUS DÉDAIGNENT !... EN MOINS D'UN MOIS, CEUX QUE VOUS APPELIEZ "DES HOMMES" SONT RETOURNÉS À LA VIE ANIMALE... SUIVEZ LEUR EXEMPLE, REVENEZ CHEZ LES HOMMES... AVEC VOTRE AVION...

AVEC MON AVION ? MAIS ?

N'EST-CE PAS LÀ L'ESPOIR QUI VOUS A POUSSÉ À L'ENTRETENIR ?!...

LES MOTEURS TOURNENT !!!

VRRRRRR

ILS REVIENNENT D'UNE REMISE À NEUF EN ANGLETERRE... LA CELLULE A ÉTÉ VÉRIFIÉE ET RÉENTOILÉE, ICI, SUR PLACE... LES ROUES REMPLACÉES... LES ANGLAIS ONT FOURNI PIÈCES ET MAIN-D'ŒUVRE... LES RUSSES LES HÉLICOPTÈRES... LES AFGHANS ONT AUTORISÉ ET CONTRÔLÉ L'OPÉRATION!

POURQUOI TOUT CE MAL ? CET AVION EST DÉMODÉ !...

G-AAXJ

LES ANGLAIS SONT CONSERVATEURS, ILS AIMENT LES VIEILLES CHOSES... LES VIEUX DOCUMENTS !... N'EST-CE PAS, MI... HEU! MÉ CANO ?...

EXACT! ET PARFOIS, ÇA LEUR COÛTE UNE FORTUNE !

?

QU'EST-CE QUE CES TUBES, LÀ, SOUS LE FUSELAGE ?...

DES MOTEURS-FUSÉES QUI FOURNIRONT UNE POUSSÉE D'APPOINT AU DÉCOLLAGE !... CEUX-CI SOULÈVERAIENT UN ÉLÉPHANT !...

VOUS NE COMPTEZ QUAND MÊME PAS FAIRE DÉCOLLER CET AVION ?

SI! DANS UNE HEURE, VIC ET MOI, NOUS L'ARRACHERONS AU CRATÈRE... À CONDITION QUE VOUS VENIEZ AVEC NOUS !...

OUI ! J'AI ATTENDU CE MOMENT QUARANTE ANS... C'EST COMME SI LE TEMPS S'ÉTAIT ARRÊTÉ... JE NOUS REVOIS, VOLANT SUR PLACE DANS CE TERRIBLE ORAGE... NOUS PERDIONS DE L'ALTITUDE SOUDAIN ! À QUELQUES MÈTRES, LE SOL EST APPARU !...

ENSUITE ?...

BARNET, LE PILOTE, A POSÉ L'AVION... UN MIRACLE!!!... LA FOUDRE TOMBAIT SANS ARRÊT À QUELQUES MÈTRES DE NOUS... LES PILOTES ONT VOULU SORTIR SE METTRE À L'ABRI, ET ONT ÉTÉ FOUDROYÉS... MOI, J'AVAIS PRÉFÉRÉ LANCER **UN DERNIER MESSAGE**...

QUE LE CHAMP MAGNÉTIQUE LOCAL, AMPLIFIÉ PAR L'ORAGE, **A CAPTÉ**...

...**ET FIXÉ DANS LE SOL**, COMPOSÉ EN GRANDE PARTIE DE FERRITE, COMME **LES BANDES MAGNÉTIQUES**,... À CHAQUE ORAGE, LE PHÉNOMÈNE SE RECONSTITUE DANS LE CRATÈRE, QUI, PAR SA FORME, EST UNE ANTENNE PARABOLIQUE NATURELLE...LAQUELLE RENVOIE LE MESSAGE MÉLANGÉ DANS L'ESPACE...

HEUREUSEMENT POUR VOUS QU'IL AIT DAIGNÉ REDESCENDRE!

...OÙ LE SATELLITE INTELSAT IV S'EN EMPARE ET LE DISTRIBUE AUX STATIONS DE TÉLÉCOMMUNICATIONS SPATIALES... DONT CELLE DE PLEUMEUR-BODOU, OÙ IL A ÉTÉ DÉCHIFFRÉ!... REVENONS SUR TERRE... SUIVEZ-MOI AU CIMETIÈRE...

AU CIMETIÈRE?

CETTE GRANDE TOMBE, C'EST?

STEVENS, QUI, EN AMORTISSANT VOTRE CHUTE DANS LA CREVASSE, VOUS A SAUVÉ LA VIE ET PERDU LA SIENNE!...

TOUTE UNE VIE GÂCHÉE!...

YoKo s'est agenouillée devant une tombe à l'écart...

AVANT DE DÉTRUIRE LES DOCUMENTS, J'EN AI TIRÉ DES MICROFILMS...SACHANT QUE LES VIVANTS N'AIMENT PAS DÉTERRER LES MORTS, JE LES AI CACHÉS SOUS CETTE FAUSSE TOMBE!

VOILÀ! LES DEUX CARTOUCHES MARQUÉES D'UNE CROIX **VOUS APPARTIENNENT**!...ELLES RENFERMENT TOUT CE QUE VOUS AVEZ ÉCRIT DURANT QUARANTE ANS DE SOLITUDE...QUANT AUX DEUX AUTRES, ELLES VONT PAYER LA REMISE EN ÉTAT DE L'AVION!...

Et, de retour à l'avion...

VOUS AVEZ TENU VOS ENGAGEMENTS, MILORD, L'AVION EST EN ORDRE DE VOL, À MON TOUR DE TENIR LES MIENS! **VOICI VOS DOCUMENTS**!

TRANSACTION PARFAITE!...MAIS, AVOUEZ, VOTRE CAPRICE EST DE TAILLE!!..

HORUS

L'HOMME A SURVÉCU GRÂCE À L'AVION... ON NE POUVAIT RÉCUPÉRER L'UN SANS L'AUTRE! SAVIEZ-VOUS QUE, LORSQUE LES MOTEURS DEVINRENT MUETS, IL FAISAIT FAIRE À L'AVION LE TOUR DU CRATÈRE EN Y ATTELANT LES SINGES... C'EST CE QUI PERMIT À STEVENS ET SON U.2. DE LE PHOTOGRAPHIER!...

HOLÀ! ON FERAIT BIEN D'ALLER AIDER SMITH, IL A VOULU REVOIR SES SINGES ET...

LÂCHEZ-MOI, SALES BÊ...AÏE!!!

POL!

VITE! IL A PRIS UN TAPIS AUX SINGES ET...

SOUVENIR!...SOUVENIR!... UN VIEIL ADAGE DE L'ENDROIT DIT: "QUI VOLE UN TAPIS, VOLE UNE MOSQUÉE"!

JE HAIS LES SINGES! MÊME EN BOÎTE!...

Une heure plus tard, l'instant décisif était arrivé...

HORUS

G-AAXJ

POL, NE RATE PAS LA SÉQUENCE DU DÉCOLLAGE! OUVRE L'OEIL...ET LE BON!

J'OUVRIRAI L'OEIL QU'IL ME CONVIENDRA D'OUVRIR!...

R.Leloup 143B

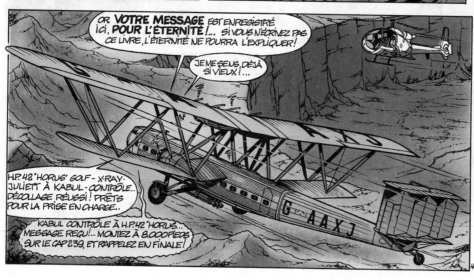